Max aime les monstres

Série dirigée par Dominique de Saint Mars

© Calligram 2006
Tous droits réservés pour tous pays
Imprimé en Italie
ISBN : 2-88480-321-1

Ainsi va la vie

Max
aime les monstres

Dominique de Saint Mars

Serge Bloch

CALLIGRAM

CHRISTIAN GALLIMARD

Tchic... tchic... tchic...

Maman, tu l'as achetée, la citrouille pour Halloween ?

Hé ! Hé !

Lili, on ne va pas tomber dans ces pièges, c'est pour faire vendre des horreurs !

On adore les pièges !

Et les monstres horribles !

7

8

9

12

14

Tiens, je le libère ! Peut-être qu'il te donnera des forces pour faire tes devoirs !

Les superpouvoirs, c'est pas pour ça !

J'ai besoin de personne, moi, pour travailler !

Tu ne sais faire que ça ! T'es une fille sans imagination !

Maman, tu dis rien ? Ah... ton chouchou !

Je fais confiance à votre imagination pour vous rabibocher !

Une fille sans imagination !... C'est ce qu'on va voir !

15

16

C'est la nuit où les morts-vivants font des festins d'enfants...
Ils boivent d'abord leur sang, puis les rôtissent à la broche...

C'est vrai ça ?

Si je mens, je vais en enfer !
T'as qu'à demander à Clara.
Elle vient demain.

Tu sais comment les morts-vivants choisissent les enfants ?

Non...

Par ordre alphabétique !
L'année dernière, c'était l'année des L...

LE LENDEMAIN...

Tu vas lui faire ça... ?

Mais c'est juste pour rigoler !

Maman, on peut dormir dans la cabane ? Il fait pas froid !

Et moi ? Vous n'allez pas me laisser tout seul ?

Il a raison ! Prenez soin de lui !

Tu peux compter sur nous, Maman !

21

27

Dans l'imaginaire, les monstres dévorent les humains, c'est normal ! Mais dans la réalité, il y a des hommes qui sont pires que des monstres... ceux qui s'attaquent aux enfants par exemple !

Certains ont manqué d'amour quand ils étaient petits... Possible, mais il faut s'en protéger.

Moi, j'affronte des monstres tous les jours ! Je déjoue leurs pièges avec mes ruses...

C'est une façon de grandir... Et quand on est grand on comprend qu'on doit aller se coucher !

30

Dis donc, qu'est-ce que vous avez eu peur avec Clara !

Pas du tout ! On est parties parce que la maison était trop moche !

T'avoues jamais rien ! Moi, j'aime bien avoir peur !

Seulement quand c'est pour de faux ! Les monstres que tu t'inventes, ils ne passent JAMAIS dans la réalité !

Je sais, ils n'existent que dans ma tête. C'est pour ça que je peux les apprivoiser quand je veux !

LE LENDEMAIN...

Regarde !

REGARDE ! Regarde Maman ! Un bébé chauve-souris !

Brrr, Il n'est vraiment pas beau ! Vous ne trouvez pas qu'il fait un peu monstre ?

Il ne faut pas se fier aux apparences, Maman !

Moi, je le trouve mignon !

Il bouge ! Si on lui donnait du lait ?

Il tète bien !

Dis donc, toi, tu m'impressionnes !

Mes monstres, je les aime bien quand même... mais ce n'est pas la vraie vie !

Tu feras déjà un bon papa !

... Lili, je crois que je vais devenir vétérinaire !

Et toi...
Est-ce qu'il t'est arrivé la même histoire qu'à Max ?

Aimes-tu ce qui fait peur ? Les trucs horribles ?
Aimes-tu prendre des risques ?

Quels monstres préfères-tu ?
Penses-tu qu'ils peuvent être aussi gentils ou protecteurs ?

Les monstres sont comme une arme ? Ça t'aide
à avoir moins peur ? Tu trouves que ça te rend fort ?

Ça te calme quand tu es en colère, quand tu dois obéir
ou quand tu ne peux pas te défendre autrement ?

Aimes-tu faire peur aux autres ?
T'arrive-t-il de confondre l'imaginaire et la réalité ?

Connais-tu des gens qui semblent gentils
et qui te font du mal ? En te critiquant, en te forçant...

43

Tu trouves ça moche, débile, pas drôle ?
Tu n'as pas le temps de rêver ? Tu préfères la réalité ?

Tu préfères les sorcières ? Les chevaliers ? Les fées ?
La science-fiction ? Le surnaturel ? La mythologie ?

Tu n'aimes pas te battre ni avoir peur ?
Tu as un mauvais souvenir ? On t'a raconté des peurs ?

Inventes-tu des histoires sur tes désirs, tes peurs ?
Ça t'aide à faire des projets dans la réalité ?

Si quelqu'un te fait peur, tu sais te défendre
autrement que par l'imagination ?

Gardes-tu secret ce que tu imagines ?
Vois-tu des adultes qui aiment l'horreur ?

**Après avoir réfléchi
à ces questions
sur les monstres,
tu peux en parler
avec tes parents ou tes amis.**